ISAAC ALBÉNIZ

SEVILLA

SEVILLANAS

DE LA 'SUITE ESPAÑOLA'

TRANSCRIPCION PARA GUITARRA

DE FRANCISCO TARREGA

REV. DE MIGUEL LLOBET

UNION MUSICAL EDICIONES S.L.

SEVILLA

SEVILLANAS

De la «Suite española»

Transcripción de
F. TARREGA
Rev.: M. LLOBET

I. ALBENIZ

© This Edition Copyright 1995 by Union Musical Ediciones, S.L. Madrid (España)
All Rights Reserved.

C. 3ª
C. 3ª
C. 5ª
C. 7ª
C. 7ª
C. 3ª
C. 7ª
dim.
C. 8ª
C. 6ª

C. 8ª
C. 1ª
C. 8ª
f
C. 7ª
C. 2ª
C. 2ª
C. 7ª
f
p
C. 7ª
C. 5ª
C. 7ª
C. 2ª
C. 2ª
C. 7ª
f
p
p
p
dolce
cresc.
C. 2ª
C. 7ª
C. 8ª
C. 3ª
C. 2ª
C. 7ª
C. 8ª
ff
p
ff

C. 2ª
ff
mf
ff
ff
p
f
cresc.
C. 7ª
fff
D.C. al
hasta
y sigue
Tambora
Meno mosso
p molto legato
rall. poco
Arm.
C. 8ª
cantando
ten.

C. 8ª
C. 6ª
C. 6ª
a tempo
C. 7ª
rallent.
C. 6ª
C. 3ª
Arm.
C. 6ª
C. 6ª
C. 1ª
C. 4ª

C. 6ª
C. 3ª
Meno mosso
p molto legato
C. 5ª
C. 8ª
ff
f
C. 3ª
C. 8ª
C. 7ª
fff
D. C. al 𝄋
hasta
y sigue
pp
Arm.
Arm.
rasgueado